LE PUMA
AUX YEUX D'ÉMERAUDE

Pour Dan et Corentin

LE PUMA
AUX YEUX
D'ÉMERAUDE

Yves-Marie Clément

Illustrations de Jean-François Martin

Nathan

Chapitre 1
Les mines du Boyacá

C'était le jour de tía Roberta.

Elle se trouvait dans la cuisine, en train de préparer l'iguane que j'avais piégé avec Jorge le chasseur le matin même. Elle avait sa tête des lundis. Mieux valait ne pas traîner dans ses jambes. Je sortis de la maison et m'assis sur la marche de pierre pour affûter mon coupe-coupe.

Sur la route, un chien errant traînait la patte. Ses grands yeux noirs et tristes captaient la lumière du jour.

Des rubans de fumée s'élevaient dans la forêt. C'était l'époque des brûlis[1]. En face, la vallée s'offrait à moi. Les cours d'eau couraient parmi les arbres, leur surface nacrée luisait au soleil. Le río[2] Corral disparaissait au loin, entre deux falaises de granit.

Le toit de tôle du collège émergeait derrière une rangée de cocotiers. Il semblait écrasé par la chaleur de midi. La vaste cour de récréation ne résonnait plus des rires et des cris. Les fenêtres des salles de classe étaient closes.

Le collège avait fermé ses portes la veille. J'étais content d'être en vacances. Mais j'éprouvais en même temps un peu de tristesse. Il y avait comme un vide dans ma vie. Quand je n'allais pas en classe, l'absence de mon père me faisait souffrir.

La lame de mon coupe-coupe serait bientôt plus tranchante que celle d'un rasoir. L'idéal pour se tailler un chemin en plein bois.

---

1. Brûlis : terrain dont on brûle les herbes et les arbustes en vue de les cultiver.
2. Río : rivière ou petit ruisseau.

Je plissai les paupières. Au loin, j'aperçus les trois monts. Le mont du Singe lovait ses flancs arrondis contre le mont du Perroquet et le mont de la Mémé. On en parlait souvent comme de véritables personnes. Les jours d'orage, par exemple, les vieux du village disaient que le Singe et la Mémé étaient en colère.

La forêt les tapissait entièrement. À leur pied, les anciennes mines d'émeraudes…

Un oiseau vint se poser sur la pancarte couchée sur la barrière du voisin. Je lus à haute voix :

— Bogotá, 362 kilomètres.

Tía Roberta se pencha par la fenêtre de la cuisine et s'écria :

— Julio César ! Ça sera bientôt prêt !

Tous les lundis, elle me préparait un bon plat. Le reste de la semaine, je mangeais ce qui me tombait sous la main. Du riz avec des haricots rouges en boîte, du manioc et des bacoves[1].

---

1. Manioc et bacove : le manioc est une racine, base de l'alimentation en Amérique du Sud ; les bacoves sont des figues-bananes, un fruit des tropiques.

Je l'aimais bien, tía Roberta. Mais elle ne remplacerait jamais mon père.

Je me souvenais du jour où il m'avait dit :

— Je dois partir pour le Boyacá[1], Julio César. Ici, à Puerto del Caimán, il n'y a plus de travail pour des hommes comme moi. Les filons sont épuisés. Ils ne donnent plus que des pierres de mauvaise qualité, des morallas. Tía Roberta viendra de temps en temps à là maison s'occuper de toi.

— Je te reverrai bientôt ? lui avais-je demandé.

Mon père avait acquiescé d'un rapide signe de tête. Il y avait eu un silence, puis ses deux grosses mains s'étaient refermées sur mes épaules de gosse.

Je n'avais que lui pour famille. Ma mère était morte à ma naissance et j'étais l'aîné d'une famille qui aurait dû être nombreuse. Emiliano Batisto de Bolivar, mon père, était chercheur d'émeraudes. Il avait une place assez importante car on le considérait comme un expert en pierres précieuses. C'était un amoureux des gemmes[1], un authentique passionné.

---

1. Boyacá : région de la Colombie où se trouvent les mines d'émeraudes.

Et moi, je ne le voyais qu'une fois par trimestre.

Papa travaillait loin, là-bas, à Muzo.

Ici, à Puerto del Caimán, la vie continuait quand même. Sans lui. Je l'avais supplié à plusieurs reprises de m'emmener.

Maintenant, je savais que ce n'était pas la peine de le lui demander. Je connaissais d'avance la réponse. Dans la montagne, la vie était trop dure...

J'avais quatorze ans. Et à la mine de Muzo, les enfants de mon âge vivaient comme les adultes, coutelas à la ceinture, prêts à défendre le petit mètre carré de terrain qu'ils grattaient fiévreusement dans l'espoir de découvrir un trésor. Ils travaillaient quinze heures par jour, les pieds dans la boue noirâtre des rivières à demi asséchées. Les bagarres étaient fréquentes. Elles se terminaient souvent de façon tragique.

— Je suis sûr que le travail reviendra à Puerto del Caimán, m'assurait papa. Tu verras, on découvrira de nouveaux filons d'émeraudes !

---

1. Gemmes : pierres précieuses.

Alors, ses yeux se mettaient à briller. Ils brillaient comme ces pierres dont il avait la tête pleine. Il me serrait très fort contre lui et me racontait les histoires extraordinaires du Boyacá, les aventures incroyables des *esmeraldos*[1], maîtres incontestés[2] de la mine. Il me parlait des *verdes*, ces gemmes aux couleurs somptueuses pour lesquelles des mineurs s'entretuaient chaque jour.

Il concluait toujours ainsi :

— Et puis toi, tu dois aller à l'école ! J'ai décidé que mon fils serait un savant.

J'avais confiance. Au pied du Singe et de la Mémé, des mineurs clandestins continuaient malgré tout de fouiller le sous-sol. De temps en temps, on entendait même des explosions. Les gens disaient que c'était l'orage. Mais moi, je reconnaissais bien les détonations de la dynamite. Comme au temps où la mine était encore ouverte.

— Un jour, j'irai voir là-bas !

---

1. Esmeraldos : revendeurs d'émeraudes.
2. Incontesté : ici, personne ne remet en question leur autorité.

Chapitre 2
Un berraco

La voix de tía Roberta se fit plus pressante :

— Julio César, ça va refroidir !

J'entrai dans la petite cuisine.

— Tu ne t'es même pas coiffé, ce matin !
Regarde-toi dans la glace.

Je jetai un rapide coup d'œil dans le miroir
accroché derrière la porte. J'avais un paquet de cheveux noirs épais et bouclés sur la tête. Comment
voulait-elle que je coiffe cette tignasse ?

À table, je me dépêchai d'avaler mon assiette. Cela étonna tía Roberta. Elle replaça les mèches de ses cheveux dans le fichu rouge qu'elle semblait ne jamais quitter et me demanda :

— Toi qui n'es jamais pressé… Tu prends le train ?

— Il faut que j'aille attendre Samuel, tía. Sa mère m'a dit qu'il revenait aujourd'hui.

Samuel était un vrai copain, un *berraco*[1]. Il venait de terminer sa deuxième année de sciences de la nature à l'université de Bogotá.

Ce jour-là, il rentrait au village pour y passer les grandes vacances. Et comme à chaque vacances, il m'emmènerait sur sa pirogue presque chaque soir pour capturer des animaux et les photographier.

La famille Argentino habitait une belle maison près de chez moi. Les parents de Samuel étaient tous les deux professeurs au collège de Puerto del Caimán.

Samuel avait dix-neuf ans, et il se passionnait

---

1. Un *berraco* : un type super (expression typiquement colombienne).

pour tout ce qui bouge, rampe, vole et galope. À Bogotá, il avait même créé une association de protection de la nature.

Je me levai. J'ouvris la barrière et fis quelques pas sur la route.

Au café *Chez Pepé*, les hommes étaient tous attablés. Les bouteilles de bière s'accumulaient sur les tables. Les cris et les rires rivalisaient avec le son de la télé.

La fête des fleurs avait laissé des traces partout en ville. Des corbeilles de roses, d'iris et d'orchidées achevaient de faner sur les portes des maisons.

Un oiseau-mouche disparut dans les corolles multicolores des hibiscus. Le goudron avait fondu tellement il faisait chaud. Je m'amusais à faire éclater les cloques noires et brillantes sous la semelle de mes chaussures.

C'était le jour du marché.

Sur son étalage, un pêcheur protégeait du soleil d'énormes poissons-chats avec des feuilles de balisiers. Les mouches bourdonnaient autour de lui. Un Indien Sáliva s'était endormi au milieu de ses paniers d'osier. Un autre vendait des grappes de raisin de la montagne. Deux policiers en uniforme vert, matraque au ceinturon, arpentaient lentement la rue principale.

Dans la côte, Fernando poussait son cabrouet[1] plein de bananes plantains, d'avocats et de mangues.

— *Ola* ! me lança le vieil homme.

Je me dirigeai vers lui pour lui tendre la main.

— Veux-tu une mangue bien mûre, mon garçon ?

Fernando était superstitieux. Il n'avait rien trouvé de mieux que de clouer un Christ à l'avant de sa brouette. Un jour, je l'avais surpris à genoux dans son champ en train d'implorer la Vierge pour qu'elle lui donne les plus grosses citrouilles de la région.

Soudain, la grosse voiture bleue de M. Argentino apparut au carrefour de la route de Bogotá.

Assis à l'avant, Samuel m'aperçut. Je levai la main. Mon cœur bondit. Petit tremblement de terre dans la poitrine. Je n'étais plus tout à fait seul.

Le véhicule s'arrêta à ma hauteur. M. Argentino

---

1. Cabrouet : petite charrette à deux roues.

portait un borsalino blanc enfoncé jusqu'aux sourcils. Ses épaisses lunettes de myope, son costume crème et sa cravate noire lui donnaient l'air très sérieux.

Samuel pencha la tête par la vitre entrouverte.

— Alors, vieux ! Ce soir, première sortie ? Passe tout à l'heure !

Nos mains droites claquèrent l'une contre l'autre en signe d'amitié. La voiture redémarra dans un nuage de fumée blanche.

Samuel avait gardé ses cheveux longs. Sa « perruque », comme disait sa mère, qui lui tombait sur les épaules. Parfois, il les attachait en tresse. Il ne quittait jamais ses lunettes de soleil aux verres bleutés et fumait de temps en temps de minuscules cigarillos. Avec ses chemises à fleurs nouées sur le ventre, il avait une allure inimitable.

L'après-midi, nous commençâmes à préparer notre première expédition.

Le garage de la famille Argentino était plein d'un bric-à-brac extraordinaire : matériel de pêche, moteurs usagés, établi, outils. Seul Samuel était capable d'y retrouver ses affaires.

Je l'aidai à porter la pirogue en aluminium pour la poser dans le jardin. Samuel inspecta le moteur sous mon regard attentif. Quelques gouttes d'essence dans le moteur, démontage et remontage de la bougie. Tout semblait en parfait état de marche.

Samuel avait réussi ses examens, et ses parents lui avaient offert un nouvel appareil photo. Un reflex japonais muni d'un zoom 35/150. De quoi réaliser de beaux clichés.

Il était fier de me le montrer, mais il comptait beaucoup sur moi pour l'aider à traquer les animaux en forêt…

— Alors, on commence par quoi ? me demanda-t-il.

C'est ce que j'aimais chez lui. Il me faisait confiance. Samuel profitait de mon expérience acquise à suivre des nuits entières Jorge, le chasseur du village.

— Le río Corral… Il n'y a pas trop de courant en ce moment. Et ce matin Jorge m'a dit qu'il y avait eu des naissances de caïmans et de serpents.

— Des caïmans, super, vieux ! Va pour le río Corral.

Le río Corral coulait dans la vallée. C'était une rivière docile qui se transformait en violents rapides à la saison des pluies.

Le départ fut fixé à la tombée de la nuit.

Chapitre 3

En pirogue dans la nuit

Samuel coupa le moteur et laissa filer la pirogue dans le courant. La nuit était encore très chaude. De grosses libellules volaient dans le sillage de la petite embarcation qui se coulait silencieusement entre les berges serrées.

Je passai la main dans mes cheveux, la sueur me mouillait le front. Cette année, la saison sèche me paraissait interminable. J'enviais papa. Dans sa montagne, il avait parfois froid.

Assis à l'avant, je scrutais les racines des moutouchis et les tiges épineuses de montrichardia[1]. C'était là que se dissimulaient les caïmans, les grenouilles et les serpents. C'était là que venaient s'abreuver les rongeurs, les biches et les félins.

Une grenouille jaune et bleu, petit dendrobate au venin extrêmement puissant, plongea dans l'eau. Je la regardai nager la brasse.

— Il y a une piste en aval, fit remarquer Samuel. Elle longe un marécage plein de caïmans et d'anacondas ! On va s'y arrêter et on continuera à pied chacun de son côté.

La rivière s'élargit.

La lune se reflétait maintenant à la surface. Des poissons aux écailles luisantes sautaient dans des gerbes d'eau pour saisir les insectes en plein vol. Je demandai :

— Tu as beaucoup de photos ?

— Il y a longtemps que je ne les compte plus ! Mais je suis sûr que j'aurais de quoi faire une belle expo.

---

1. Moutouchis et montrichardia : plantes tropicales.

— Et il te manque encore des animaux ?

— Je n'ai jamais photographié de boa émeraude, par exemple. Mais je ne me plains pas ! L'année dernière, j'ai capturé un sacré paquet de serpents, de tortues et de lézards. Une cinquantaine d'espèces si ma mémoire est bonne ! Pas mal, tu ne trouves pas ?

— Hum…

— J'ai fait des photos géniales… Attention !

Je baissai la tête brusquement, évitant de me faire assommer par une branche surplombant le río.

— À quel âge tu as commencé à avoir des bêtes chez toi ?

— Moi ? Des bêtes ? J'en ai toujours eu ! Déjà quand j'étais tout petit, il y avait des singes à la maison. Deux petits ouistitis. Tu ne te souviens pas ? Mon père adore les singes. J'ai aussi gardé un paresseux pendant plusieurs années. Tous les matins, avant d'aller à l'école, j'allais lui cueillir des feuilles dans la brousse. Il aimait bien le yaourt ! J'ai eu des tortues, des grenouilles, un boa constrictor… Chez toi, par contre, je n'ai jamais vu d'animaux…

— Non, jamais. Tu sais, il n'y a pas de place.

— Et Emiliano ?

Le visage de mon père m'apparut.

Mon père avec sa touffe de cheveux noirs, sa grosse moustache qui lui retombe au coin des lèvres. Mon père avec ses yeux malins. La cigarette se consumant toute seule au bout de ses doigts.

— Lui, je suis sûr qu'il aimerait.

Ses mots résonnèrent dans ma tête : « Ici, à Puerto del Caimán, il n'y a plus de travail pour des hommes comme moi. »

Le moteur de la pirogue ronronnait régulièrement.

— Tu as des nouvelles de lui ? me demanda Samuel.

— Je lui écris souvent. Il ne me répond pas à chaque fois. Mais il me téléphone, dès qu'il peut.

Je relevai la tête. Le faisceau de ma lampe éclaira les branches et les lianes qui pendaient au-dessus de la rive.

— Là ! Un serpent !

Une forme sinueuse se déplaçait avec lenteur entre les branches.

Mon pouls s'accéléra. Le serpent nous avait-il repérés ? Ça s'agitait drôlement, là-haut !

Samuel fouilla les feuillages du regard. Il saisit la rame et pagaya dans la direction indiquée.

Il s'écria :

— Accroche-toi, Julio César !

La pirogue se retrouva en travers du courant. Les vaguelettes clapotaient sur la coque d'aluminium. Un coup d'œil sur l'eau noire. Je m'agrippai au plat-bord, tout en surveillant le serpent.

— Balance pas comme ça ! On va se retourner.

Samuel s'accrocha à une branche. La pirogue se stabilisa. Je lui demandai :

— C'est quoi ?

— Un boa de Cook ! Je vais l'attraper quand nous passerons en dessous de lui. Toi, prépare une boîte.

Samuel se dressa sur toute sa hauteur. Avec ses bras longs comme un jour sans pain, il n'eut pas de mal à atteindre les feuillages où le serpent continuait d'évoluer, affolé par la lueur de la lampe.

Son corps se tordait, semblait onduler entre le ciel et l'eau. Je gardai le faisceau lumineux braqué sur lui.

Il mesurait facilement deux mètres. Il était jaune, d'un jaune très pâle, les écailles mouchetées d'ocelles bruns. J'en avais rarement vu d'aussi beau. Je l'imaginais très bien à la place d'honneur dans l'un des albums de Samuel.

Sans que le serpent ait le temps de réagir, une main rapide se referma sur lui. Mais Samuel n'avait pas réussi à le saisir juste derrière la tête. Le boa se reprit et tenta de le mordre au poignet. Samuel esquiva. La pirogue bascula, manquant de chavirer.

Déséquilibré, il lâcha le serpent et se rétablit au dernier moment.

— On a échappé au bain forcé ! s'exclama-t-il.

Avec regret, je vis le boa disparaître dans l'eau noirâtre du río. Le reptile nagea quelques secondes avant de plonger dans les profondeurs.

— Allons voir plus loin !

Samuel démarra. La pétarade du moteur alerta une harpie juchée sur la cime d'un arbre. Le corps de l'oiseau de proie se découpa dans le ciel quelques instants au-dessus de nous.

Chapitre 4
Les chasseurs

La lune s'était cachée derrière de gros nuages.

La piste apparut dans une courbe. Samuel arrêta la pirogue et attacha la corde à la racine d'un palétuvier. Un pont de liane en mauvais état enjambait le río.

— Chacun de son côté ! clama-t-il en empruntant le pont. Si tu as besoin de moi pour capturer un anaconda géant, tu m'appelles !

— Fais-moi confiance !

Je ne comptais pas m'éloigner. J'adorais la forêt, mais seul dans le noir, entouré de ces grands arbres, et avec tous ces bruits, je n'étais pas trop rassuré quand même.

Je serrais fermement le manche de mon coupe-coupe.

La piste n'était pas très large. Elle était presque envahie par la végétation.

Bientôt pourtant, la voûte des arbres s'éclaircit et les marécages apparurent sur la gauche.

Les grenouilles et les crapauds emplissaient la nuit de leurs coassements. Un lézard basilic se tenait en appui sur le rebord d'un nénuphar large comme une assiette de géant. Il tourna la tête vers moi, hésita et s'enfuit d'un bond.

Je m'arrêtai pour observer l'endroit. Attiré par la lumière, un bataillon de moucherons tourbillonna autour de moi.

Au centre des marais, des palmiers-pinots enfonçaient leurs troncs graciles dans l'eau noirâtre. Les feuilles en éventails frémissaient. De lourdes grappes de fruits pendaient comme des colliers de perles géantes.

Je criai :

— Hé ! les caïmans !

Je laissai échapper un petit rire nerveux. Pas l'ombre d'un caïman. Et pourtant, je savais qu'ils étaient là. Quelque part. Tapis dans la vase, la gueule entrouverte. Sans bouger, invisibles, ils attendaient qu'un poisson ou un crapaud passe à leur portée.

Un coup de fusil. Je me retournai brusquement.

Des chiens aboyèrent.

Des chasseurs. Ils n'étaient sûrement pas très loin.

— Mon Dieu ! Pourvu qu'ils ne me prennent pas pour cible !

Les grenouilles et les crapauds-bœufs disparurent dans les profondeurs des eaux.

Le marécage s'était tu.

Un deuxième coup éclata, suivi d'un troisième. J'eus l'impression d'entendre les plombs siffler à mes oreilles. Peut-être avaient-ils blessé un animal et tentaient-ils de l'achever ?

Maintenant, j'entendais des voix. Ils étaient plusieurs.

De nouveaux aboiements aigus. Un homme s'écria :

— Ramène ! Ramène !

Les chiens étaient lâchés.

Sans demander mon reste, je fis demi-tour pour rejoindre Samuel.

Je n'en menais pas large. Je n'osais pas crier. Les molosses auraient foncé sur moi.

Je marchais vite, regardant à peine où je posais le pied. J'éteignis ma lampe pour ne pas me faire repérer. J'accélérai le pas.

Les lianes et les fougères géantes me fouettaient le visage.

Le río n'était plus très loin.

Mon pied se prit dans une racine. Je tombai. Mes genoux me faisaient mal. Je me redressai, couvert de boue, la main droite douloureuse.

Je relevai la tête, allumai ma lampe frontale.

Là, en face de moi, dans le faisceau lumineux, il y avait une bête allongée.

Mon sang se glaça. Mon ventre se noua.

Les yeux de l'animal brillaient comme de grosses perles vertes.

La main tremblante, je ramassai une branche pour me défendre au cas où. Je pris une forte inspiration… Je reculai à quatre pattes.

Le rayon de ma lampe balaya le corps allongé dans la latérite[1] et la boue. Sa tête me sembla démesurée, le front large, la gueule massive, le regard d'un vert sombre souligné par un large liseré noir. Il était allongé sur le flanc gauche, découvrant son poitrail blanc. Une impression de puissance se dégageait de son corps.

C'était un puma. Un puma comme je n'en avais jamais vu. Il allait bondir, planter ses dents dans ma nuque…

Une tache rouge luisait sur sa robe fauve. Il était blessé à l'épaule. Le sang coulait abondamment, vite absorbé par le sol de latérite. C'était sur lui que les chasseurs avaient tiré.

Nous restâmes face à face de longues secondes. Il ne me sembla pas agressif. Ma peur retomba lentement. Je décidai d'approcher doucement,

---

1. Latérite : terre rouge vif, que l'on trouve en milieu tropical.

mesurant mes gestes, une main hésitante tendue vers lui.

— Je… je ne te veux aucun mal…

Le félin entrouvrit la gueule, découvrant ses mâchoires armées de dents puissantes. Sa longue queue s'agita nerveusement.

Oreilles rabattues, babines retroussées, il émit un grognement d'avertissement. Je m'arrêtai net.

Les aboiements se firent de plus en plus proches. J'agitai mon bâton devant l'animal blessé et dis :

— Va-t'en ! Vite ! Ils vont te tuer !

Comme s'il me comprenait, le puma prit appui sur trois pattes.

Je murmurai :

— Je ne peux pas te protéger. Va-t'en !

J'aurais voulu le sauver, mais je savais que c'était impossible.

— Les chiens vont arriver. Ils seront bientôt sur toi. Va-t'en !

Il fit un effort pour se lever et disparaître dans un fourré.

Sans plus attendre, je fonçai droit devant moi.

Samuel se trouvait déjà dans la pirogue. Il tenait un serpent par la tête.

— Je t'ai appelé ! fit-il. Regarde ce que j'ai trouvé… Et de ton côté ?

— Vite ! On y va, je t'expliquerai !

Samuel enferma le serpent dans une des boîtes et s'installa à l'arrière. À l'aide de la pagaie, je poussai la pirogue au milieu du río.

Chapitre 5
Poursuivi
par les chiens

Samuel tira plusieurs fois sur la corde du lanceur.

— Démarre, mon vieux ! Démarre !

Le moteur pétarada et se noya. Les hommes se rapprochaient. On entendait leurs voix distinctement. Elles étaient entrecoupées d'aboiements furieux :

— Par là !

« Ouah ! Ouah ! »

— Attrape !

Enfin, le moteur démarra. La pirogue s'ébroua. Deux gerbes d'eau passèrent par-dessus bord. La poignée d'accélérateur à fond, Samuel évita les obstacles et négocia les courbes comme un professionnel.

Je jetai un coup d'œil en arrière. Le pont n'était plus en vue. Le río Corral se rétrécissait. De gros blocs de granit affleuraient au milieu de son lit.

Je respirais. Mais je m'en voulais de ne pas avoir fait plus pour tenter de sauver le puma. Il avait sans doute perdu trop de sang. Déjà, les chiens devaient être sur lui. Jamais il ne s'en sortirait. Le remords m'envahit.

Samuel ralentit et me harcela de questions :

— Alors, raconte… Ils t'ont poursuivi ? C'était à toi qu'ils en voulaient ? Tu les connais ? Raconte !

— Je ne les ai même pas vus. J'ai juste entendu les coups de fusil.

— Papa dit qu'il y a souvent des chasseurs sur cette piste. Tu as eu peur de ramasser des plombs ? Où te trouvais-tu quand ils ont tiré ?

— J'étais devant le marais. Ils ont lâché les

chiens, j'ai paniqué. J'ai couru…

— Tu as bien fait, tu aurais pu prendre une balle perdue.

— J'ai trébuché sur une racine, et je suis tombé. En me relevant, je me suis retrouvé nez à nez avec… avec un puma.

— Un puma ! s'exclama Samuel.

— Je t'assure.

— Incroyable ! Un puma, tu es bien sûr de toi ?

— Sûr ! Ce n'était pas un chat…

— Je ne dis pas ça… Mais fallait m'appeler. Un puma, tu te rends compte ?

— Il était blessé, et puis il y avait les chiens.

— Ici, personne ne tire sur les pumas… C'était un jeune ? Un adulte ?

Je repassai la scène dans ma tête. Je revis nettement l'animal. C'était un adulte. Un adulte de taille imposante.

— Il faisait bien ses deux mètres. Tu aurais vu sa tête. Et ses pattes ! Des pattes énormes. Il aurait pu me tuer.

— Mais il ne l'a pas fait…

— Sûrement parce qu'il était blessé, et poursuivi par les chiens.

— Pourtant, on dit qu'une bête blessée est dix fois plus dangereuse…

— Alors peut-être a-t-il senti que je ne lui voulais pas de mal.

Je répétai sans trop y croire :

— Peut-être. En attendant, à l'heure qu'il est…

Samuel hocha la tête. Il conclut :

— Certains chasseurs tirent sur n'importe quoi. Une seule chose les intéresse : tuer !

La nuit semblait s'épaissir. Un parfum de vanille flottait dans l'air. Des papillons au vol irrégulier croisaient l'embarcation. Au-dessus des arbres, sur la colline, les lumières de Puerto del Caimán scintillaient comme des lucioles.

J'aperçus ma petite maison, perchée sur la route de Bogotá. Tía Roberta avait laissé la lampe de ma chambre allumée. Mais je n'avais pas vraiment envie de rester seul ce soir-là. Samuel dut s'en douter. Il me proposa :

— Tu veux dormir chez moi ? Tu sais que la

porte t'est toujours ouverte !

Nous entrâmes dans la maison. La porte de la chambre de Samuel grinça.

— C'est toi ? demanda sa mère dans un demi-sommeil.

— T'inquiète pas, maman… Je suis avec Julio César.

— Julio César…

La chambre était parfaitement rangée. Ça n'allait pas durer. Sur la commode, sa mère avait même disposé un énorme bouquet de bougainvillées dans un grand vase de terre. Sur le bureau se trouvait un terrarium que Samuel avait aménagé très sobrement pour ses captures. Il ouvrit la boîte du serpent et l'installa dedans.

— Première prise de la saison. Séance photo demain matin ! dit-il en refermant le couvercle.

Le boa s'enroula instinctivement autour d'une branche. Il sortit sa langue pour scruter son nouvel environnement. Il n'avait pas l'air tellement stressé. Puis il plongea dans la cuvette d'eau pour s'y mettre à l'abri.

— Dommage pour le puma… dis-je.

— N'y pense plus !

— Facile à dire…

— Dans une semaine, on trouvera sa peau sur un marché de Bogotá.

Chapitre 6
La ruse du puma

Je ne fermai pas l'œil de la nuit. Pas seulement à cause des moustiques. Les yeux verts du puma, ses crocs blancs, les aboiements des chiens m'avaient hanté sans relâche.

— À table, les enfants !

Mme Argentino poussa la porte de la chambre.

— Ça sent le jaguar, là-dedans. Alors, Julio César, tu as bien dormi ?

Je hochai la tête.

— Oh oui…

La maman de Samuel sourit. Elle avait des bigoudis verts plein les cheveux.

— On ne dirait pas !

C'était une dame toute ronde. C'était même une grosse dame. Chez Samuel, il y avait toujours de la friture sur le feu, et Mme Argentino grignotait sans cesse. Je l'aimais beaucoup.

Sur la table de la cuisine, deux bols de lait froid, un pot de sucre en poudre, une carafe de jus de goyave, une autre de maracudja[1], du miel des Andes et des céréales.

M. Argentino avait laissé tomber la chemise et la cravate pour des vêtements plus décontractés. C'étaient les vacances. Il possédait lui aussi un petit ventre rond. Il s'assit sur le coin de la table et dit :

— Je vous ai entendus parler de puma cette nuit. Vous auriez fait une mauvaise rencontre ?

— C'est Julio César, répondit Samuel. Il a vu un

---

1. Maracudja : fruit exotique, appelé aussi fruit de la Passion.

puma blessé. Des chasseurs venaient de lui tirer dessus. C'est bien ça, vieux ?

— Exactement. Et les chiens allaient le rattraper !

— C'était à quel endroit ?

— Tu sais, sur la piste que traverse le río Corral, près des marais…

— Ah oui ! Celle qui mène aux anciennes mines d'émeraudes. On dit qu'il y a encore du monde, là-bas. Ces gens-là chassent forcément. Un puma…

— À l'heure qu'il est, il doit être mort ! soupira Samuel.

M. Argentino se leva. Il sortit un cigarillo d'un grand coffre de bois, le frotta d'un mouvement lent sous ses narines et le pinça entre ses dents. Il pointa l'index vers le plafond, prit son air le plus sérieux et dit :

— Hum ! Pas si sûr, les enfants. Le puma est rusé. Il est capable de se dissimuler là où personne ne pourrait le trouver.

— Tu crois ? demanda Samuel. Les chiens ont du flair…

— Ce n'est pas une question de croyance, l'interrompit son père. Je te dis cela parce que je l'ai lu dans beaucoup de livres ! Votre puma, même blessé, a peut-être traversé le marais pour semer les chiens. Il a ensuite grimpé au sommet d'un arbre, se rendant invisible dans la végétation.

Si c'était vrai… L'allumette craqua. La flamme fut aspirée par le bout du cigare. M. Argentino releva le menton et cracha en l'air un épais nuage de fumée blanchâtre.

— Pourquoi les rencontre-t-on si peu souvent en forêt ? poursuivit-il. Parce qu'ils sont les as du camouflage.

Je lui demandai :

— Alors… il n'est peut-être pas mort ?

— Possible.

J'échangeai un regard complice avec Samuel. Je chuchotai :

— Et si on y retournait ?

Mme Argentino comprit nos intentions. Elle s'inquiéta auprès de son mari :

— Je suppose que c'est un fauve très dangereux ?

— C'est le moins qu'on puisse dire. Le puma est le seul animal de notre forêt à ne pas craindre l'homme.

— Et le jaguar ? dit Samuel.

— Le jaguar ? Ses réactions sont différentes. Elles sont plus prévisibles. Si tu te trouves sur son territoire, par exemple, il y a de fortes chances pour qu'il te suive. Les plus grands chasseurs te le confirmeront. Mais s'il le fait, ce sera seulement par curiosité. Il... il éprouve une sorte de respect pour l'homme. Un respect mêlé de crainte. Tandis que le puma serait capable de tuer pour défendre son aire[1].

Cette dernière phrase jeta un froid. Puis le regard de M. Argentino croisa le mien.

— Es-tu bien sûr d'avoir vu un puma, mon garçon ?

Je me doutais un peu qu'on ne me croirait pas.

En toute logique, le puma aurait dû bondir, se jeter sur moi, me réduire en charpie et s'enfuir

---

1. Aire : espace. Ici, c'est le territoire du puma.

dans la forêt. Pourtant, il n'en avait rien fait. Je me demandais bien pourquoi. Je baissai la tête, plongeai la cuiller en aluminium dans le lait. J'aurais voulu disparaître tout entier au fond du bol.

Je n'écoutais plus la leçon de M. Argentino, ni les questions de Samuel. Deux perles vertes brillaient dans ma tête, les yeux du félin. Sa robe fauve et blanche, au poil soyeux, électrique, s'évanouit dans la nuit. Des perles de sang tachaient la piste de latérite. Les hurlements des chiens s'amplifiaient.

Je frissonnai. Cet animal-là m'intriguait, je ne savais pas pourquoi. Et j'avais la certitude qu'il était encore en vie !

Chapitre 7
Des traces de sang

Le ciel était lourd de nuages noirs, couleur de plomb.

« Des cumulo-nimbus, avait dit M. Argentino. Signe de pluie et d'orage. » Le temps s'était rafraîchi. Une famille de toucans au bec multicolore traversa le village en volant très bas. À l'horizon, le Singe, le Perroquet et la Mémé se couvraient d'une brume épaisse.

Je passai devant la maison. J'ouvris la boîte aux

lettres. Pas de courrier. Le facteur n'était peut-être pas encore passé. Chaque jour, j'espérais une lettre de mon père. Je pensais qu'il ne rentrerait pas avant une semaine.

Nous descendîmes la pirogue vers la rivière.

L'eau du río Corral avait pris une teinte brunâtre de limon[1].

— Il a plu dans la montagne, vieux !

Samuel s'installa au moteur. En plein jour, la rivière n'avait pas du tout le même aspect. On l'aurait dite plus sage. Les orchidées accrochaient leurs racines à toutes les branches mortes qui surplombaient son lit sinueux. Le cacao sauvage poussait en abondance sur les berges.

Le moteur démarra. La proue se souleva doucement.

Je relançai la conversation de la veille :

— Et toi, tu y crois, à mon histoire ?

— Pourquoi je n'y croirais pas ? s'étonna Samuel. J'ai entendu les chiens, les chasseurs…

---

1. Limon : boue très fertile.

— Ça ne prouve rien, tu sais. Je t'ai peut-être raconté des histoires pour me faire valoir.

Samuel hocha la tête.

— Ce n'est pas ton genre. Et puis, je te fais confiance.

Je souris et lui demandai :

— Tu n'as pas peur ?

— J'ai pris une machette, on ne sait jamais. Papa a raison quand il dit que le puma peut s'avérer dangereux.

La coque de la pirogue se cala sans choc contre les racines du palétuvier. Un clapotis. Samuel attacha le cordage autour d'une des racines aériennes. Une cigale emplit la forêt de son chant lancinant. Le vent s'était levé et les lianes étrangleuses frottaient contre les troncs dans un grincement inquiétant.

Samuel serra la machette dans la main droite. Je ramassai une branche solide. Nous marchions en silence. Un taon tournait en vrombissant au-dessus de nos têtes.

Je chuchotai :

— Les marais commencent à cinq cents mètres

d'ici. Il peut très bien se trouver dans les parages.

— Ouvrons les yeux et les oreilles !

Le moindre mouvement dans les branches nous alertait. Mais les feuillages étaient épais, et le puma avait pu s'enfoncer dans la forêt. Je m'arrêtai, m'accroupis. Je scrutai le sol pour retrouver dans la latérite les traces de l'animal blessé.

— Là-bas ! Du sang ! s'exclama Samuel.

Mon cœur fit un bond.

Des taches rouges disposées en ligne traversaient la piste et se perdaient à l'entrée du marais. Plusieurs traces de pas prouvaient que les chasseurs avaient piétiné à cet endroit. Les pattes des chiens avaient également marqué la latérite.

— Regarde ! Ce sont tes empreintes ! remarqua Samuel.

Je ramassai une touffe de poils. Les coussinets du puma avaient également laissé des marques rondes. Je posai la main à plat pour mesurer la taille de la patte. Elle débordait de chaque côté de ma paume.

— C'est ici que nous nous sommes retrouvés nez à nez.

— Il s'est donc enfoncé dans la forêt, constata Samuel en indiquant les grands arbres. On ne le retrouvera jamais…

— Les chasseurs l'ont suivi, regarde…

Un layon de fortune[1] avait été taillé au coupe-coupe. Plusieurs branches pendaient, tranchées d'un coup de sabre, indiquant la route à suivre.

Je proposai :

— Suivons-le !

Samuel ne semblait pas convaincu.

— Pour moi, les hommes l'ont rattrapé. Imagine le sang qu'il a perdu. C'est une bête qui a dû s'effondrer d'épuisement. Les chiens l'ont retrouvé, se sont jetés dessus…

La gorge serrée, je m'apprêtais à renoncer par la force des choses. Après tout, Samuel avait sans doute raison.

— Dommage.

Un feulement lointain me répondit.

Samuel posa l'index sur sa bouche. Nous tendîmes

---

1. Layon de fortune : passage provisoire à travers la végétation.

l'oreille. Le feulement se fit plus audible. Il revint à un rythme régulier, comme une respiration. Un long frisson me parcourut le dos. Ce cri profond, venu des entrailles, sifflement rauque d'une bête blessée, m'impressionna.

— Ça s'est arrêté.

Le temps s'était figé. Nous attendions. Le râle emplit de nouveau la forêt. Souffle de forge.

— Ça vient de par là ! affirma Samuel en indiquant le layon des chasseurs.

Mon cœur s'accéléra. Était-ce réellement le puma ? Avait-il senti notre présence ?

Sabre en main, Samuel passa le premier. Il marchait vite, tout en faisant attention où il posait les pieds.

La respiration courte, j'essayai de repérer dans les branches l'animal blessé. Les gouttes de sang, les traces des chiens et des chasseurs, tout cela se mêlait, s'entrecroisait, formant des arabesques[1]. Course contre la mort.

---

1. Arabesques : lignes sinueuses de formes diverses.

Soudain, une ombre noire s'agita contre le tronc d'un grand fromager. Samuel se précipita. Surpris, l'animal se dressa face à nous, nous menaçant de ses griffes puissantes. C'était un tamandua[1] occupé à défoncer une termitière.

Son pelage roux le rendait pratiquement invisible sous le couvert. Samuel recula lentement. L'animal aurait pu attaquer, mais il préféra prendre la fuite. Dans un froissement de feuilles, il disparut aussi vite qu'il était apparu. J'étais profondément déçu.

— C'était donc ça…

Un grognement m'interrompit. Je levai la tête. Sur un promontoire de granit, à quelques mètres de là, se découpait la silhouette du félin.

---

1. Tamandua : petit fourmilier.

Chapitre 8
Entre la vie et la mort

Le ciel s'était entièrement couvert de nuages noirs. Dans la forêt, il faisait aussi sombre qu'en pleine nuit. Nous escaladâmes le rocher.

Gueule béante, babines sèches, la langue d'un rose très pâle, le félin paraissait inconscient. La paupière ouverte laissait entrevoir ses pupilles dilatées.

— Il ne respire presque plus…

Des croûtes de sang coagulé se détachaient par

plaques de sa robe fauve. Cinq trous perforaient son flanc.

— Ils l'ont tiré à la chevrotine[1] ! s'exclama Samuel. Les plombs sont espacés. Quelques centimètres plus bas, il les prenait en plein cœur.

J'agitai la main au-dessus des blessures pour chasser les mouches et les fourmis qui avaient commencé leur travail de nécrophage[2].

Je pensai à Jorge le chasseur. Jamais il ne tirerait sur un puma. D'ailleurs, à Puerto del Caimán, je ne connaissais personne qui s'y aventurerait.

De vieilles légendes indiennes disent que les pumas sont les égaux de l'homme, et que l'homme leur doit le respect.

Alors, qui étaient ces types avec leurs chiens ? Peut-être venaient-ils du sud ? Des trafiquants de peaux, comme l'avait suggéré Samuel.

— Il… il va mourir ?

Samuel ne me répondit pas. Il secoua la tête.

_____

1. Chevrotine : plomb de calibre important, employé pour la chasse au gros gibier.
2. Nécrophage : animal qui se nourrit de cadavres.

— Tu sais, je ne suis pas un spécialiste.

— Alors ?

Samuel dit à voix basse :

— Il s'est vidé de son sang. Je crois qu'on ne peut plus rien pour lui.

Je passai la main sur l'échine du puma. Sa peau était froide, parcourue de tremblements nerveux. J'éprouvai une haine soudaine pour ceux qui avaient tenté de l'abattre.

Je m'exclamai :

— Il vit encore… On doit le sauver. Il a échappé aux chasseurs, non ? Il s'est caché pour échapper aux chiens. On doit le sauver !

Samuel hocha la tête.

— Il pèse au moins cinquante kilos. Comment veux-tu qu'on le transporte ?

— En le prenant sur nos épaules, on y arrivera. Le río n'est pas loin.

— Tu veux rire.

— C'est ça ou on le tue pour abréger ses souffrances !

Samuel passa la machette dans son ceinturon.

— OK ! C'est bon ! Tu as le dernier mot !

Le voyage du retour dura presque une heure. Chaque obstacle était une véritable montagne. Nos pieds s'enfonçaient dans la terre humide. Les lianes rendaient la marche difficile. Mais j'étais décidé à ne pas abandonner.

Les mouches bourdonnaient autour des plaies suintantes.

Soudain, une pluie torrentielle s'abattit sur la forêt. Les gouttes martelèrent les feuillages. Un vent violent se leva. On ne voyait plus rien à deux mètres. Le sol de latérite se transforma en une véritable patinoire. Nous manquâmes de tomber à plusieurs reprises.

Le cœur du puma cognait sur mon épaule. Des battements de plus en plus espacés, de plus en plus faibles. Il fallait se dépêcher.

Les feuilles des grands balisiers se couchaient sur le layon. Des éclairs déchiraient le rideau de pluie. Le tonnerre craquait, crépitait, roulait et grondait dans la forêt, faisant trembler le sol.

J'avais de la peine à reprendre mon souffle. Je n'en pouvais plus.

Le pont apparut enfin. Samuel descendit le premier. Le corps du puma roula dans le fond de la pirogue. Il occupait presque toute la place.

Nous étions trempés. Traversés. La pirogue démarra. Les gouttes acérées nous fouettèrent le visage. À l'aide de l'écope, je vidai l'eau qui emplissait l'embarcation.

M. Argentino nous aida à transporter le puma dans le garage. Sa femme nous observait de loin, les mains jointes sur la poitrine.

— Allez donc vous changer, mes petits ! Vous êtes dans un état !

— Ça va sécher, maman…

Il y avait plus urgent.

— Posons-le sur la table, fit M. Argentino. Je vais appeler le vétérinaire.

Mon regard restait fixé sur le pelage fauve. La respiration du félin était à peine perceptible. Samuel gardait le silence. Il ne devait nourrir aucun espoir.

Je scrutais ma montre toutes les quinze secondes. Le temps me paraissait long suspendu au souffle du moribond[1].

Une voiture s'arrêta devant la maison. Deux portières claquèrent.

Je glissai la main dans le cou du puma. Elle disparut dans l'épaisseur du poil. Des caillots de sang emprisonnaient des touffes. Soudain, à la base de la tête, mes doigts furent arrêtés par quelque chose : un collier. Épais, solide. Je le fis tourner autour du cou.

C'était une torsade de fils de nylon, comme des fils de pêche tressés. Invisible et solide. Une pochette y était cousue. Je la tâtai. Elle contenait des choses, des petits cailloux.

Je sortis mon canif et tranchai les fils d'un coup sec.

Un collier ! Ce n'était donc pas une bête sauvage. Je commençais à mieux comprendre son comportement. S'il ne m'avait pas agressé, c'est qu'il devait avoir l'habitude des hommes.

— Regarde, Samuel !

Mais celui-ci tourna la tête vers l'entrée. Au

_____

1. Moribond : sur le point de mourir.

même moment, le visage de M. Argentino apparut dans l'entrebâillement de la porte. Je fourrai discrètement la trouvaille dans ma poche.

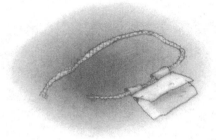

Chapitre 9

Top secret !

Un coup d'œil vers le puma. Une goutte de salive perlait au bout de sa langue d'un rose de plus en plus pâle.

— Il est ici !

Derrière M. Argentino, dans la pénombre de l'escalier, je reconnus M. Calderón, le vétérinaire. C'était un personnage mystérieux. Il habitait une très belle villa à la sortie de Puerto del Caimán, presque dans la forêt. On disait qu'il était l'homme le plus riche de la ville.

Il portait une grosse mallette noire.

— Aïe ! fit-il.

Il se précipita vers le puma. Il semblait étrangement bouleversé. Il demanda :

— Où… où l'avez-vous trouvé ?

— Dans la forêt, sur la piste du río Corral.

Samuel ajouta :

— Il a été abattu… je veux dire blessé par des chasseurs hier après-midi.

— Il a été plus malin qu'eux, soupira le vétérinaire. Je suis sûr qu'il les a fait tourner en rond.

— Il a traversé le marais pour que les chiens perdent sa trace ! ajouta Samuel.

Le vétérinaire se pencha sur le puma. Sa main se glissa dans le cou de l'animal comme s'il cherchait le collier que je venais à peine de lui ôter. Il releva la tête et me regarda droit dans les yeux. J'éprouvai un étrange malaise. Dans le fond de ma poche, le petit sac contenant je ne sais quoi ! Peut-être aurais-je dû le sortir, le lui montrer. Je n'en fis rien. Le pressentiment que j'avais fait une découverte peu ordinaire commençait à me gagner. M. Calderón se râcla la gorge et ouvrit sa mallette d'un geste sec. Ses doigts bouffis, ornés de grosses bagues en or, plongèrent à l'intérieur pour en extraire des instruments d'auscultation, un paquet de seringues et des boîtes de médicaments qu'il posa directement sur la table.

Bruit métallique.

Une mouche vrombit autour de la gueule entrouverte du puma. Ses oreilles frémirent. La paupière bougea également. Très légèrement. Je relevai la tête. J'étais le seul à m'en être aperçu. Le disque noir de la pupille se rétracta. Un éclair passa dans le regard du fauve, lueur à peine visible, sursaut de vie. Mon regard plongea dans le sien. Je m'accrochai désespérément à cet œil.

— On va te sauver !

Il m'entendait. Il me comprenait, j'en étais convaincu.

— Le cœur est très faible, conclut le vétérinaire. Il a perdu beaucoup de sang. Ce que j'espère, c'est que les plombs n'ont pas touché d'organe.

Autrement…

— A-t-il des chances de s'en sortir ? s'inquiéta
M. Argentino.

— Il a perdu beaucoup de sang, je le répète.
Difficile de me prononcer pour l'instant.

— Que peut-on faire pour lui ?

— Je vais d'abord lui administrer un tonicar-
diaque. Ensuite, tout va dépendre des soins que
vous allez lui prodiguer. Je ne peux pas l'emmener. Le transporter lui serait fatal.

M. Calderón pansa les plaies.

— Surveillez-le jusqu'à demain. Examinez la
pupille. Tenez, comme ça !

Il braqua le faisceau d'une lampe de poche dans
l'œil du blessé.

— Quand la pupille se resserre, c'est qu'elle réagit
normalement. Pensez aussi à observer la respiration
et le rythme cardiaque. Je vais vous laisser un sté-
thoscope. Au moindre signe de défaillance, vous
me téléphonez.

— Et s'il se réveille ?

M. Calderón esquissa un sourire.

— S'il se réveille, fermez les portes pour l'empêcher de sortir et appelez-moi !

Il parut hésiter, et ajouta :

— Si cela devait arriver, ce qui m'étonnerait, n'ayez surtout aucune crainte.

Comment pouvait-il dire cela ? Je lui demandai :

— Un puma blessé n'est-il pas dix fois plus dangereux…

— Pas celui-là.

— Comment cela ? s'étonna M. Argentino.

— Je le connais, avoua le vétérinaire. C'est un animal domestique, et ce n'est pas la première fois que je lui prodigue des soins.

— Il appartient donc à quelqu'un de Puerto del Caimán ?

— Ça, par contre, je ne peux pas vous le dire. Top secret !

Le vétérinaire s'adressa à nous :

— Quand vous l'avez trouvé en forêt, les enfants, il ne portait pas de collier ?

— Non, non ! répondit Samuel.

— *De acuerdo*… Je vais alerter ses propriétaires.

Je le prendrai en charge dès que possible.

— M. Calderón ! Savez-vous comment il s'appelle ?

— Il s'appelle Idolo, mon garçon. Au fait, passez au cabinet. Je vous donnerai les médicaments qu'il faut !

Chapitre 10

Un dangereux trésor

Nous avions passé toute la journée à surveiller l'état de santé d'Idolo.

Le soir venu, je m'allongeai tout habillé, prêt à jaillir du lit pour descendre dans le garage. Je fermai les yeux. Les bruits de la forêt résonnaient dans ma tête. Un coup de feu éclata non loin de là. Il fut suivi de plusieurs autres qui me glacèrent le sang. L'odeur du puma s'était incrustée dans mes vêtements. Je me retournai nerveusement, cherchant une meilleure position.

Je dormis d'un demi-sommeil. À minuit, la main de Samuel me secoua l'épaule. Je me levai d'un bond.

— C'est ton tour !

Il faisait chaud dans la chambre. Les pales du ventilateur tournaient mollement, brassant l'air avec peine. J'avais l'impression de sortir d'un drôle de rêve.

Je me frottai les paupières.

— Hum ! Il… Il est comment ?

— Je crois qu'il va mieux. Il a bougé une patte. Le corps s'est réchauffé. Par contre, il a eu un accès de fièvre impressionnant accompagné de tremblements. Si ça recommence, tu peux me réveiller.

Je marmonnai :

— T'inquiète pas.

Je descendis dans le garage.

Seul avec le blessé, je n'étais pas rassuré. Le néon éclairait la pièce d'une lueur blanche et froide. Il était là, allongé sur le flanc, emplissant la table qu'on avait calée contre le mur du fond. L'ombre de son corps se projetait sur le sol. J'imaginai qu'il pourrait se réveiller, bondir de sa table pour se jeter sur moi.

Je m'approchai doucement. Son poil luisait comme de la soie. Sa patte antérieure gauche se rétractait de temps en temps. Ses griffes superbes, pointues et tranchantes comme des hameçons, avaient une courbe parfaite. Je passai la main dans son cou. Les battements du cœur étaient plus forts. Cela me rassura. Je le caressai, sentant que je ne risquais rien.

— Eh ! Idolo !

Je plaçai une chaise devant la table et m'assis. J'allais rester près de lui, écouter son souffle, surveiller sa respiration. Je posai la main sur son flanc. Les battements de son cœur résonnèrent dans ma main.

— Je ne vais pas te quitter des yeux ! Tu vas t'en sortir, crois-moi.

Machinalement, je fourrai la main dans ma poche. Mes doigts rencontrèrent le collier. Je l'avais oublié. Je le sortis. Que pouvait bien contenir le sac ?

Je le posai sur le bord de la table et fis sauter les points à l'aide de mon canif. Le cuir s'étala, libérant des pierres qui roulèrent sur la surface blanche. Elles avaient la couleur des yeux du puma.

J'en ramassai une, la plus grosse. Je la pris entre le pouce et l'index et la plaçai à une dizaine de centimètres de mes yeux.

Elle était verte. D'un vert presque aussi sombre que celui de la forêt les soirs d'orage. Verte comme la Mémé et le Singe quand les éclairs sillonnent le ciel.

Je l'approchai de la lampe. Comme par magie, la pierre s'aviva. On aurait dit qu'elle concentrait toute la lumière en son cœur pour la libérer en un jaillissement d'étoiles.

J'ânonnai :

— Des… des… é-me-raudes !

Une sueur froide glissa le long de mon dos. Impossible ! Je devais me tromper.

Je tournai et retournai la pierre entre mes doigts, comptant les facettes. C'était bien un de ces cristaux hexagonaux dont m'avait tant de fois parlé mon père.

De petites taches blanches et grises témoignaient de la coloration de la gangue[1].

— Des émeraudes !

Je rassemblai les gemmes entre mes mains pour les compter.

Il y en avait dix-huit. Je les classai par taille. La plus grosse, parfaitement cristallisée, mesurait environ deux centimètres sur trois. Quatre autres, plus petites, se détachaient nettement du lot. Le reste était composé d'éclats d'une grande beauté.

Mes doigts tremblaient.

Un bruit mat me fit sursauter. Je me levai d'un bond, les yeux rivés sur la porte du garage. Ma gorge se serra. Deux pierres roulèrent par terre, réfléchissant par éclats la lumière du néon.

Je les ramassai en vitesse et les rangeai dans ma poche. Un chat miaula. Fausse alerte.

Je m'assis de nouveau, le cœur battant.

D'où venaient donc ces gemmes ? Pourquoi les avoir attachées au cou d'un puma ?

---

1. Gangue : roche très dure qui entoure l'émeraude avant son extraction.

Je me mis à échafauder différentes hypothèses. Avais-je découvert par hasard la piste de trafiquants ?

En tout cas, je me trouvais en possession d'un trésor pour le moins dangereux. Il y en avait sans aucun doute pour quelques milliers de dollars ! Des hommes seraient capables de tuer pour récupérer une telle fortune. Je ne devais en parler à personne. Pas même à Samuel. Pas la peine de le mêler à cela. C'était mon secret.

Je décidai de les cacher jusqu'au retour de mon père.

Je caressai la tête de mon blessé.

— Idolo. Si tu parlais… Tu pourrais me raconter l'histoire de ces pierres…

Le puma ouvrit un œil. Il émit un grognement sourd. Sa patte gauche prit appui sur la table, entourant sa tête.

La porte grinça. Samuel.

— Impossible de dormir ! lança-t-il. Je n'arrête pas de penser à cette bête…

— Il se réveille.

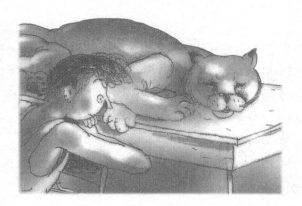

Chapitre 11
La cachette

L'état de notre protégé s'était nettement amélioré. Il venait de se réveiller et avait accepté de prendre un peu d'eau. M. Calderón avait téléphoné pour prendre de ses nouvelles. Il viendrait lui rendre visite dans la matinée.

Le puma avait désormais des chances de s'en sortir.

Mais le mystère du collier d'émeraudes restait toujours entier. D'où provenaient donc ces pierres ? À qui pouvaient-elles bien appartenir ? Les filons de Puerto del Caimán n'étaient-ils pas épuisés depuis plusieurs années ? Je mourais d'envie d'aller jeter un petit coup d'œil au pied de la Mémé…

Avant de déjeuner, je retournai à la maison dans l'intention d'y cacher les pierres.

Il faisait toujours chaud. Pas un poil de vent ne rafraîchissait l'air. De lourds nuages gris obscurcissaient le ciel. L'atmosphère était moite. Je dégoulinais de sueur.

La veille, avant de partir, tía Roberta avait étendu le linge de la semaine dans le fond du jardin. Elle ne reviendrait pas à la maison avant lundi. Comme d'habitude, elle m'avait laissé un mot sur la table de la cuisine.

Je le lus à haute voix :

« Je t'ai fait à manger pour deux jours. N'oublie pas de bien refermer le frigidaire. Ne plie surtout pas le linge avant qu'il soit bien sec. Fais ta vaisselle et ne laisse pas traîner tes affaires sales. Ton père a téléphoné. Il rentre demain matin. »

Hurlement de joie. Papa rentrait donc aujourd'hui. J'étais heureux, et en même temps je me sentais soulagé. J'allais tout lui confier. Lui saurait quoi faire.

Je montai l'escalier et fonçai vers son bureau. La pièce n'avait pas été ouverte depuis son dernier séjour, trois mois auparavant. Il y régnait une forte odeur de renfermé. Je poussai les fenêtres et les volets pour aérer un peu, et mis en branle le ventilateur. Une des pales[1] émit un léger grincement. Des papiers s'envolèrent sur la table de travail. Je posai la main dessus et les retins à l'aide d'un livre.

J'ouvris le tiroir de gauche, où papa rangeait les instruments que je l'avais tant de fois vu utiliser.

J'allumai la lumière, et saisis entre le pouce et l'index la plus grosse des émeraudes, celle que je trouvais la plus belle. Je plaçai la loupe de lapidaire[2] contre mon œil. Grossi plusieurs fois, le cristal révéla en son cœur l'existence de minuscules inclusions[3].

---

1. Pale : élément tournant de l'hélice.
2. Lapidaire : spécialiste des pierres précieuses et fines.
3. Inclusion : éclat de matière au cœur de l'émeraude.

J'avais souvent entendu papa dire qu'elles donnaient parfois de la valeur aux pierres et qu'elles permettaient à coup sûr d'en identifier l'origine géographique.

Le vert me parut légèrement différent de la veille. Plus clair, plus scintillant, plus pur. La loupe tomba de mon œil.

Je rangeai rapidement les outils et versai mon trésor dans une enveloppe que je dissimulai sous une latte du plancher. Seuls papa et moi connaissions cette cachette.

Je refermai soigneusement la porte de la maison. En passant la barrière du jardin, je jetai un coup d'œil dans la vallée. Les eaux du río Corral grondaient. À l'horizon, le Singe, la Mémé et le Perroquet avaient presque disparu derrière un voile gris. Il pleuvait sur la forêt. Une pluie qui allait encore grossir les fleuves et les rivières.

Samuel m'attendait sur le seuil de la porte, son boa constrictor enroulé autour du bras.

— Tu vois, il n'est pas agressif pour deux sous !

— C'est que tu sais t'y prendre avec ces animaux. Et Idolo ?

— M. Calderón est passé pendant ton absence, vieux.

Mon cœur cogna dans la poitrine.

— Il… il est venu le chercher ?

— Non, non ! Idolo est encore bien trop faible. Par contre, j'ai fait quelques clichés de lui. Je te donnerai un portrait. Ses yeux m'ont impressionné.

Le serpent passa dans le cou de Samuel.

— Au fait, M. Calderón m'a relancé au sujet du collier. Ça a vraiment l'air de l'inquiéter. Il m'a demandé de t'en parler. Toi, tu n'as rien remarqué quand on a trouvé le puma dans la forêt ?

J'avalai une gorgée de salive.

— Il… il ne portait pas de collier.

— Tu en es sûr, vieux ?

— Puisque je te le dis ! Il faisait jour. On l'aurait vu, non ?

Samuel fronça les sourcils. Cette affaire, et l'insistance du vétérinaire, paraissaient l'intriguer. Ça me faisait mal de mentir à mon ami, mais il le fallait. Je voulais d'abord que papa sache. Ensuite…

Le petit déjeuner était encore plus copieux que la veille. Avec Mme Argentino, c'était comme ça. Chaque jour, elle ajoutait un plat nouveau et elle doublait les doses. Impossible d'y échapper. Je n'allais pas m'en plaindre.

— Je vais prendre les photos du boa avant de le relâcher. Tu veux m'assister ?

— Mon père arrive ce matin…

— Je suppose que tu vas l'attendre au carrefour ?

— Bien deviné !

Il devait arriver vers dix heures. Je ne voulais pas le rater.

Chapitre 12

Mauvaise rencontre

Les paupières lourdes d'une nuit trop courte, la tête dans les nuages et les idées embrouillées, je sortis de chez Samuel. Début de vacances plutôt mouvementé !

Un papillon voletait devant moi, m'indiquant la route. L'éclat bleuté de ses ailes n'avait rien à envier à celui des gemmes pour lesquelles les *guaqueros*[1]

_____

1. *Guaqueros* : chercheur d'émeraudes.

du Boyacá risquaient continuellement leur vie.

Les paroles de mon père me revinrent alors : « Tout ce qui brille n'est pas précieux, Julio César. Seul l'éclat des pierres est éternel. »

En haut de la côte, le carrefour.

Une légère appréhension me serra la gorge, me prit au ventre. Et s'il ne venait pas ? La dernière fois, l'autocar s'était arrêté, laissant descendre une famille. Je m'étais précipité, mais la portière coulissante s'était refermée sous mon nez. Papa ne se trouvait pas dans le car. Le chauffeur avait relancé le moteur… J'avais attendu le second car, celui du soir. Le lendemain, il m'avait téléphoné pour m'expliquer. Il avait été retenu dans le Boyacá. Cinq *guaqueros* avaient été assassinés, et la police avait consigné tous les mineurs pour l'enquête.

Le couinement de la carriole du vieux Fernando me tira de mes pensées.

— *Que tal*[1], Julio César ?

Il s'arrêta à ma hauteur, souleva son chapeau de

---

1. *Que tal* : comment ça va ?

paille, reprit son souffle et me dit :

— Je vais au champ cueillir des ananas. Tu m'accompagnes ?

— Merci, Fernando. J'attends mon père !

Il ouvrit une grande bouche, laissant paraître ses dents jaunies par le tabac.

— Ah ! Emiliano Batisto est de retour ?

Son visage s'illumina. Comme s'il avait ranimé des souvenirs. Il me fit un clin d'œil et ajouta :

— Tu lui diras, à ton père, que le vieux Fernando pense bien à lui. Je l'ai connu quand il était grand comme toi, tu sais !

Il me l'avait dit cent fois. Il s'essuya le front du revers de sa manche, s'arc-bouta et engagea son cabrouet dans un chemin de terre. Il se retourna pour me faire un dernier signe avant de disparaître entre deux rangées de bananiers.

Je consultai ma montre. Bientôt dix heures. Avec un peu de chance, le car n'aurait pas de retard.

À cet instant, une grosse voiture rouge franchit un stop sans le marquer et s'arrêta à ma hauteur dans un crissement de pneus. La portière du passager s'ouvrit. Je me penchai. Un homme que je ne connaissais pas m'interpella :

— Monte, petit !

— Je… je ne peux pas. J'attends…

— Monte, je te dis !

Je reculai. Mais une main vigoureuse m'agrippa le poignet. Elle me tira d'un mouvement sec. Je fus happé à l'intérieur de l'automobile, sans pouvoir réagir.

— Je te dis de monter !

Tout se déroula si vite. Il me poussa sur la banquette arrière. Reprenant mes esprits, je tentai d'ouvrir une portière.

Bouclée de l'extérieur. Les émeraudes. Quelqu'un savait. J'étais pris au piège.

— Laissez-moi sortir !

— Tais-toi !

La voiture redémarra.

— Que me voulez-vous ? Je n'ai rien fait !

— Tu le sauras bien assez tôt ! me rétorqua le chauffeur.

Je me retournai. Au carrefour, l'autocar du Boyacá

venait de s'arrêter dans un nuage de fumée. Je vis descendre un homme. Je reconnus la veste à carreaux de mon père…

Je hurlai :

— PAPA ! PAPA !

Une violente claque me rabattit sur le siège. Je me cognai contre la vitre. Ma tête tourna. Je faillis perdre connaissance.

La route défilait à vive allure. On quitta Puerto del Caimán. Les deux hommes discutaient. J'essayais de comprendre leur conversation, mais ils parlaient à demi-mot, n'achevant pas toujours leurs phrases. Les termes « marchandise », « patron », revenaient souvent.

On s'engagea sur une piste transversale. Je la connaissais pour l'avoir prise cent fois en vélo. Elle menait à une ferme d'élevage de cabiais[1] implantée en pleine forêt. Le chauffeur rétrograda en troisième. La voiture cahotait sur la piste défoncée par le passage fréquent des camionnettes.

---

1. Cabiai : le plus gros des rongeurs (jusqu'à 1,20 m de long).

Chapitre 13

Prisonnier !

Soudain, le chauffeur s'arrêta. Il sortit un foulard de sa poche et me banda les yeux. La voiture roula encore un quart d'heure, une demi-heure peut-être. J'avais perdu la notion du temps. Puis elle freina brusquement.

On me fit descendre. Je marchai sur une dizaine de mètres. Des chiens aboyèrent. Ceux des chasseurs ?

On me poussa. Je butai sur une marche et tombai

sur un plancher. Je devinais l'endroit où nous nous trouvions. Il n'y avait qu'une construction dans les parages : une maison forestière située derrière les enclos de cabiais. Personne n'y venait plus. La bâtisse tout en bois était adossée à la forêt.

Une porte se referma sur moi. Cliquetis de verrou.

J'étais prisonnier.

J'ôtai mon bandeau. J'étais enfermé dans une pièce sombre, sans fenêtre. Un faible filet de lumière passait sous la porte.

Je restai là longtemps, tournant en rond dans ma prison, cherchant un moyen de m'évader. Mais les cloisons étaient solides, et je ne disposais d'aucun outil pour les entamer.

Je finis par m'asseoir dans un coin, le dos au mur. Je ne cessais de penser à mon père.

Mes ravisseurs revinrent. La lumière s'alluma. Je tendis l'oreille.

Ça discutait ferme.

Je me levai et observai à travers la cloison par un trou pratiqué dans un nœud du bois. Un troisième homme venait d'entrer, petit, maigre, des gestes nerveux. Il ôta son chapeau. Il haussait régulièrement les épaules. Sans doute un tic. Une vilaine cicatrice lui barrait la joue droite. Un long cigare pendait de sa bouche. Il lança un regard noir à mes ravisseurs :

— Pourquoi avez-vous enlevé ce gosse ?

Le chauffeur leva les mains, l'air hébété, et dit :

— Enlevé, enlevé… On l'a seulement amené ici. Pas vrai, Chico ?

— C'est vrai, patron, renchérit l'autre.

— Je ne vous ai pas engagé pour ça. Savez-vous ce que ça coûte d'enlever un gosse ?

— Non. Et on s'en moque, on sera bientôt riches !

Un éclat de rire fusa. Chico se tapa sur la cuisse. Il saisit une bouteille d'*aguardiente*[1] sur la table et en avala plusieurs gorgées.

L'homme au cigare hocha la tête.

— Vous êtes devenus fous tous les deux ! Et maintenant, qu'est-ce que vous allez en faire ? Toi, Pedrito, tu vas peut-être…

---

1. *Aguardiente* : eau-de-vie.

— On va le faire parler en lui appliquant la méthode forte, patron !

— *Cretinos !*

L'insulte déplut à Pedrito. Il leva le canon du fusil vers le balafré. Le silence se fit. Un silence terrible, qui me pesa soudain sur la poitrine. Mes jambes flageolèrent. L'homme à la balafre se passa la main dans les cheveux. Ses épaules s'agitèrent encore plus vite. De la sueur perla sur son front.

Il n'osa pas insister. Il recula lentement vers la porte, fit volte-face et sortit de la maison.

Je venais peut-être de perdre mon seul allié.

Ils allaient me faire parler. Je devais tout faire pour gagner du temps. Papa allait forcément partir à ma recherche.

— Tout ça, c'est de ta faute… lâcha Chico.

Pedrito se leva. Il posa sa main à plat sur la poitrine et répéta, en détachant bien chaque syllabe :

— De ma faute ?

— Si tu m'avais laissé tirer, on n'en serait pas là !

— Qui dit que tu l'aurais eu ? Tu rates ta cible une fois sur deux !

— Je l'avais dans ma ligne de mire ! Et j'étais chargé à balle. Impossible de le manquer.

— Puisque tu es si doué, c'est toi qui feras parler le gosse !

Je me laissai glisser le dos contre le mur et m'assis. Je fermai les yeux. Des éclats d'émeraudes scintillaient dans ma tête.

Dans la pièce d'à côté, la conversation continuait de plus belle :

— Il faut se dépêcher d'exécuter mon plan, Pedrito. On récupère les pierres et on disparaît dans la montagne.

— C'était pas ce qui était prévu au départ ! Les émeraudes, faut s'en débarrasser le plus vite possible. À Bogotá, je connais…

— C'est notre seule chance, Pedrito ! Notre seule chance ! Elle ne repassera pas deux fois. On doit pas prendre de risque !

— On verra qui a raison !

La discussion s'éternisa. J'observais de temps en temps la pièce voisine. Ils étaient saouls. Trois bouteilles d'alcool vides posées sur la table. Sans doute attendaient-ils la nuit pour agir. Ils avaient allumé une lampe à pétrole. La lueur jaune faisait danser les ombres contre les cloisons.

L'orage éclata soudain. Une averse torrentielle martela le toit de tôle de la ferme, couvrant les voix. Je me levai pour espionner de nouveau mes geôliers.

Ma porte s'ouvrit.

Pedrito se tenait dans l'encadrement. Nous restâmes une seconde face à face. Puis, sans réfléchir, je bondis, tête baissée. Mon crâne heurta violemment son ventre. Je ressentis une douleur vive dans la nuque. Le choc l'avait projeté au sol.

Je me redressai, étourdi. La porte de sortie était grande ouverte. Pedrito se tordait par terre. Interloqué, Chico se leva de sa chaise. Il tenait à peine debout.

Je fonçai dehors. Je me mis à courir sans me retourner, aveuglé par l'eau ruisselant sur mon visage.

Devant moi, au milieu de la piste, un cabiai sans doute échappé de l'enclos tourna la tête vers moi et se dressa brusquement sur ses pattes postérieures. Comme terrorisé, il piqua un sprint en direction de la forêt.

Un aboiement me glaça le sang. Ils avaient lâché les chiens. La peur au ventre, je fonçai comme un dératé sur la piste détrempée, les pieds frôlant à peine le sol, manquant de tomber à chaque pas.

Au loin, je crus reconnaître le ronflement d'un moteur.

Au tournant de la piste, deux phares m'éblouirent soudain. Je m'arrêtai net. J'étais pris au piège. Me ruer vers la forêt ! C'était ma dernière chance.

Un coup de feu éclata. Un chien hurla à la mort. Je me retournai. L'un des molosses était couché sur le flanc. L'autre avait déjà rebroussé chemin.

— Julio César !

— Papa !

La silhouette de mon père un fusil à la main se découpait dans la lueur des phares.

Je courus vers lui et me jetai dans ses bras. Il me serra très fort.

— Ils ne t'ont rien fait de mal ?

— Non, ça va !

— Monte à l'abri dans la voiture. Nous, on va les déloger de là.

M. Argentino était au volant. Papa m'ouvrit la portière arrière. Il y avait Samuel et l'homme à la balafre. Je m'exclamai :

— Vous !

Papa me rassura :

— Tu ne te souviens pas de Luis Jorge Pedrera ?

Je lui fis signe que non.

— Quand tu étais petit, il venait souvent à la maison. C'est lui qui m'a alerté tout à l'heure. Seul, il n'aurait rien pu faire contre ces deux *banditos*.

— Mais…

— Attendez-nous là, c'est trop risqué !

Papa claqua la portière. Luis Jorge Pedrera descendit. M. Argentino rangea la voiture sur le côté de la piste et sortit, fusil de chasse à la main. Les trois hommes firent un signe de croix et se dirigèrent tranquillement vers la ferme.

Chapitre 14

Le gisement oublié

Samuel me donna une tape sur l'épaule.

— Alors, vieux ! Tu as passé un sale quart d'heure ?

— Hum ! Qui est ce Luis Jorge Pedrera ?

— Il est géologue, et sa spécialité, c'est la gîtologie !

— La gîtologie ?

— Si tu préfères, il est engagé par les sociétés minières pour les aider à déterminer la nature et la richesse du sous-sol qu'elles souhaiteraient exploiter.

— Il a donc travaillé à Puerto del Caimán !

— Exactement, vieux. Et il y a six ans, alors que la mine s'épuisait, il a découvert au pied de la Mémé deux émeraudes exceptionnelles. Il a aussitôt eu la certitude qu'il venait de mettre au jour un nouveau filon. Un filon très important de gemmes de qualité supérieure, comme on n'en voit jamais.

Une détonation. Je tressaillis. C'était papa. Il venait de tirer en direction de la maison forestière. Deux ombres longèrent le bâtiment et se fondirent dans la végétation.

— On n'est pas près de les revoir ! s'exclama M. Argentino.

La pluie cessa brusquement. Le ciel se dégagea, laissant paraître la lune juste au-dessus des arbres. Derrière leur clôture, les cabiais s'agitaient, affolés.

La voiture démarra, direction Puerto del Caimán. Samuel poursuivait ses explications :

— C'est alors que le directeur de la mine a pris la décision de fermer l'exploitation. Comme tu le sais, plusieurs centaines d'hommes comme ton père se sont retrouvés sans emploi. Luis Jorge Pedrera a essayé de se battre, en expliquant que la mine n'avait pas tout donné. En vain.

L'affaire a été classée.

M. Pedrera se tourna vers moi. Son tic ne l'avait pas quitté. Il continua :

— Jusqu'à voilà quatre mois... où j'ai découvert chez un revendeur clandestin de Bogotá trois belles émeraudes du type de celles que j'avais trouvées au pied de la Mémé.

— Le site était donc toujours en activité !

— Eh oui ! Le directeur, entouré sans doute d'une poignée d'ouvriers, avait décidé d'exploiter clandestinement le nouveau gisement pour son compte personnel. J'en ai alerté un ami haut placé au ministère, qui m'a promis de faire rouvrir la mine si je parvenais à prouver mes dires ! J'ai donc décidé de revenir à la charge. J'ai mené mon enquête, et puis j'ai engagé deux hommes de main.

— Pedrito et Chico... Mes ravisseurs ?

— Exactement ! Je leur ai donné pour mission

d'espionner les mineurs clandestins. Mais leur cupidité les a très vite aveuglés. Quand ils ont découvert que le puma transportait les émeraudes…

— Ils ont voulu le tuer pour récupérer les gemmes.

— Voilà. Tu connais la suite de l'histoire, mon garçon !

On arriva sur la route goudronnée. Il faisait maintenant nuit noire. La pluie avait soulevé des odeurs puissantes.

Je regardai par la vitre embuée. Le Singe, le Perroquet et la Mémé attiraient toujours l'orage. Les éclairs lézardaient le ciel au-dessus de leurs têtes.

Nous nous arrêtâmes devant la maison.

— Où as-tu caché les émeraudes ? me demanda papa.

— Sous le plancher !

— J'aurais dû y penser.

Je me précipitai dans le bureau. Je soulevai les lattes. Mon enveloppe s'y trouvait toujours. Papa alluma la lumière blanche et s'assit. Il sortit plusieurs loupes, en donna une à M. Pedrera. Les deux experts auscultèrent les gemmes dans un silence religieux.

Papa parla le premier :

— Les inclusions sont exceptionnelles. N'est-ce pas, Luis Jorge ?

— Elles proviennent bien de mon filon !

Papa me tendit sa loupe. J'observai à mon tour.

— Regarde bien, Julio César. Tu vois ces petites poches ?

De minuscules taches tapissaient la base du cristal.

— Oui…

— Ce sont des gouttes d'eau fossile. De l'eau vieille de plusieurs millions d'années.

Je murmurai :

— Prisonnière de la pierre.

— Tu te rends compte ? Ces cristaux sont les plus anciens témoins de l'histoire de notre planète.

Les yeux de papa brillaient. J'étais heureux.

— Et celle-là !

Il me tendit un petit éclat auquel je n'avais pas jusque-là accordé d'importance.

— Une fois taillée, je suis certain que ce sera la plus belle.

— Je la trouve un peu trop bleutée, fit remarquer M. Pedrera.

— C'est vrai… mais un bon polissage atténuera cette tendance.

M. Pedrera alluma un cigare. Il se dirigea vers la fenêtre. La forêt s'était emplie du chant des crapauds-bœufs.

— Allons faire un petit tour jusqu'aux mines.

Nous sortîmes de la maison. Trois hommes marchaient au milieu de la route en titubant. Ils tenaient chacun à bout de bras leur bouteille d'*aguardiente*. Pépé les avait sûrement mis dehors.

— Nous allons emprunter la piste du nord, dit papa en ouvrant la barrière du jardin.

— Elle est impraticable… fit remarquer M. Argentino.

— C'est vrai. Mais elle surplombe la mine. La nuit est claire, on pourra observer nos clandestins sans prendre de risque.

M. Argentino donna ses clés de voiture à papa.

— Alors prenez le volant ! dit-il. Vous avez sans doute plus l'habitude que moi.

Papa posa son fusil entre les deux sièges. Il engagea la première.

À l'entrée de la piste, il éteignit ses feux. Le sol était complètement défoncé, garni de profonds nids-de-poule. La piste n'était plus entretenue depuis très longtemps.

Au fil des ans, les orages et les pluies torrentielles avaient abattu de nombreux arbres. Il nous fallut en dégager certains.

L'eau de ruissellement avait creusé des ornières impressionnantes, et papa manœuvrait avec une extrême prudence pour éviter ces pièges.

Une famille de sarigues traversa la piste devant nous. Nous l'évitâmes, puis la voiture s'arrêta brusquement.

— On ne peut pas aller plus loin ! Le pont du río Escobar ne supporterait pas le poids de la voiture.

Nous continuâmes à pied. Je marchai à côté de papa. Il faisait de grandes enjambées, la tête haute, le fusil dans la main droite, canon pointé vers le sol. L'épaule droite de M. Pedrera me semblait monter de plus en plus haut. Samuel scrutait la végétation, dans l'espoir d'y repérer un serpent. La nuit appartenait au boa, au crotale et au serpent-corail.

Devant nous, la Mémé grossissait insensiblement. À son pied, la forêt avait été dégagée pour les besoins de l'exploitation minière.

Dans un virage, la piste surplombait les installations.

— Par là ! fit papa.

Nous prîmes place sur une dalle de granit pour observer l'endroit.

Trois baraques de chantier étaient flanquées contre un immense tas de déblais. À une trentaine de mètres de l'entrée des anciennes galeries, des hommes jouaient de la guitare et chantaient autour d'un feu de bois.

— Ils sont au moins une dizaine, dit M. Pedrera.

— Ça a beaucoup changé, murmura papa. Ces types-là ont déplacé des tonnes de pierres. Je ne reconnais plus le paysage !

— Ils sont armés ! dit Samuel. Regardez, près de la première cabane.

— Ce sont des fusils de guerre, constata M. Pedrera. Ces gars-là ne sont sûrement pas des tendres. Demain, la police viendra les cueillir au saut du lit ! C'est bon… Je pense que nous en avons assez vu. Maintenant, ce qu'il faudrait savoir, c'est où le puma pouvait bien livrer les émeraudes…

Je lui dis :

— J'ai ma petite idée là-dessus.

Nous retournâmes à Puerto del Caimán.

Chapitre 15
Le complice

J'espérais avoir vu juste. D'autant que M. Pedrera avait les mêmes soupçons que moi. De retour à la maison, il téléphona au poste de police pour demander l'aide des hommes de garde et pour préparer l'opération du lendemain.

Pendant ce temps, papa fit réchauffer le ragoût d'iguane préparé par tía Roberta. Je sortis quelques bouteilles de bière et de Coca du réfrigérateur. J'étais excité de vivre pareille aventure. La mine de Puerto del Caimán allait peut-être rouvrir. Je reprenais espoir de voir papa revenir au village.

Un parfum d'oignons, d'épices et de tomates cuites envahit très vite la pièce.

— Tu as vraiment de la chance ! s'exclama papa. Tía Roberta est la meilleure cuisinière du pays !

Après le repas, nous remontâmes en voiture. Les rues de Puerto del Caimán étaient désertes. Il faisait chaud. Les portes et les fenêtres ouvertes des maisons entretenaient un courant d'air permanent.

Ce soir-là, tous les habitants de la ville étaient rivés devant la télévision. Le petit écran diffusait en direct un match de football pour la qualification de l'équipe nationale.

M. Argentino ralentit devant le café de Pépé. Il jeta un coup d'œil curieux dans le bar. Les habitués s'étaient rassemblés devant le poste. Ils commentaient la rencontre tout en buvant des bières.

— Le stade de Barranquilla doit être plein comme un œuf ! s'exclama M. Pedrera.

— Normal ! C'est sûrement un des plus beaux matchs de l'année, soupira Samuel qui devait regretter de ne pouvoir y assister.

— Avec Alfredo Mendoza, Faustino Asprilla et Harold Lozano… C'est sûr que ça doit être un beau match ! ajouta papa.

À la sortie de la ville, la voiture ralentit.

M. Argentino se gara contre un grand mur protégé par des barbelés. Nous marchâmes jusqu'à la grille. Un dogue courut aussitôt dans notre direction en aboyant. Une bête énorme aux yeux luisants comme des braises. Je frémis. Il s'arrêta avant la grille, retenu par une longue chaîne métallique.

— Hum ! On ne me fera pas croire que cet homme-là n'a rien à se reprocher ! s'exclama Samuel.

Papa appuya sur la sonnette de l'interphone. Une voix l'interpella.

— *Si ?*

— *Señor Calderón*, demanda papa.

— Qui êtes-vous ?

— Emiliano Batisto de Bolivar. Je suis avec M. Argentino et M. Pedrera, nous voudrions vous parler.

— Entrez !

La villa du vétérinaire s'éclaira subitement. Un moteur électrique souleva la grille. La porte de la maison s'ouvrit. M. Calderón parut, vêtu d'un costume blanc, d'une chemise noire ornée d'une fine cravate blanche. Un ordre bref de son maître et le chien retourna dans son enclos.

— Vous venez m'apporter des nouvelles d'Idolo, je suppose ?

— Pas seulement ! lui répondit papa.

M. Calderón ajusta les pans de sa veste.

Il nous fit pénétrer dans un vaste salon aux murs de marbre rose. Tout me paraissait luxueux. Je n'avais jamais rien vu d'aussi beau.

Il poussa un petit bar à roulettes vers les canapés en cuir.

— Prenez place, je vais vous servir un rafraîchissement.

Papa sortit l'enveloppe de sa poche et la vida sur

la table de verre. Les émeraudes roulèrent avec un tintement singulier.

Le regard de M. Calderón se fixa sur les pierres. Il eut un sourire forcé. Il ouvrit la bouche. Un tremblement à peine visible agita ses lèvres. Il passa l'index sous le col de sa chemise, ravala sa salive.

— Je vois que vous vous intéressez aux pierres précieuses, dit-il.

— J'ai travaillé à la mine pendant assez long-temps.

— La mine. Il faut espérer qu'un jour on y découvrira de nouveaux filons, n'est-ce pas ?

— Je crois que c'est déjà fait ! affirma M. Pedrera en saisissant une des émeraudes. Et vous en savez quelque chose, monsieur Calderón !

Le visage du vétérinaire se transforma soudain. M. Pedrera haussa le ton :

— Je suis mandaté par le gouvernement pour enquêter sur le trafic des gemmes extraites clan-destinement des mines de Puerto del Caimán.

— Je ne suis pas au courant de cette histoire !

M. Pedrera continua, imperturbable :

— Nous savons que les pierres parviennent à Bogotá où elles sont taillées pour être expédiées à Amsterdam et à Tel-Aviv. Mais nous ignorons comment elles y sont acheminées.

— Me soupçonneriez-vous ?

— Nous avons plus que des soupçons…

— Et pourquoi donc… ?

— Votre fortune, monsieur Calderón. Depuis ces dernières années, votre train de vie n'a cessé de s'améliorer de façon… étonnante, dirais-je !

— Monsieur, je suis vétérinaire, et je…

— Je me suis bien renseigné à votre sujet, l'interrompit M. Pedrera. Vous êtes depuis très longtemps un expert dans le dressage des animaux. Il y a six ans, quand votre ami le directeur de la mine a décidé de mettre la clé sous la porte pour exploiter le gisement à son compte, vous lui avez proposé de vous associer à lui. Vous avez donc dressé des animaux à traverser la forêt pour vous apporter les émeraudes…

Luis Jorge Pedrera en savait plus que je ne le pensais. Il avait donc mené une véritable enquête policière depuis le début. Il montra les cristaux du doigt et dit :

— Grâce à Julio César et à Samuel, nous avons pu mettre la main sur ces émeraudes. Si ces deux garçons n'avaient pas sauvé le puma, nous ne serions peut-être pas là aujourd'hui.

La porte d'entrée s'ouvrit brusquement. Quatre policiers en uniforme entrèrent dans la salle, arme au poing. Le vétérinaire hocha la tête.

— C'est bon, vous savez tout…

— Pas encore ! Ce que nous ignorons, c'est la façon dont les émeraudes étaient envoyées à Bogotá !

Chapitre 16
Puerto del Caimán

M. Calderón nous fit signe de le suivre, nous entraînant dans son laboratoire. Il ouvrit une armoire à pharmacie, sortit une boîte de médicaments. Il la posa sur la paillasse et en ôta le couvercle sous nos yeux.

— Ouvrez donc ces flacons ! soupira-t-il.

Papa dévissa le bouchon d'une fiole en verre fumé. À l'aide d'une pince, il tira la bourre de coton qui en obstruait le goulot. Un cristal roula sur la faïence blanche des pavés.

— Oh !

Ce ne fut qu'une exclamation. Il y avait là des dizaines de flacons identiques, contenant chacun la part d'un fabuleux trésor.

Les cristaux d'un vert sombre frisaient presque tous la perfection. Il y en avait pour une petite fortune.

— Les gemmes étaient donc envoyées par la poste dans des colis de médicaments, s'étonna papa. Insoupçonnable !

Brusquement, le néon s'éteignit, plongeant la pièce dans l'obscurité la plus totale. Une porte claqua. La clé tourna dans la serrure.

— Calderón s'est enfui !

Je cherchai l'interrupteur à tâtons. La lumière revint. Un policier enfonça la porte d'un coup d'épaule. Le laboratoire s'ouvrait sur la forêt. La veste blanche de M. Calderón disparut dans la pénombre de la forêt !

Les policiers partirent à sa poursuite.

Puerto del Caimán. Le 20 août.

J'étais au fond du jardin, occupé à aider Samuel à photographier Idolo, notre nouveau protégé. Samuel tournait lentement la molette de son objectif. Je lui demandai :

— Tu crois qu'on va devoir le relâcher ?

— Eh non, impossible ! Il ne faudrait surtout pas. Ce n'est plus un animal sauvage. Il est trop attaché à l'homme.

Je m'approchai d'Idolo. Je posai la main sur son front. Il ferma les paupières et se mit à ronronner comme un gros chat.

L'image de notre première rencontre me revint en mémoire. La peur qui noue le ventre. Le grognement qui terrorise. Les jambes qui se mettent à trembler. Tout cela appartenait désormais au passé. Mais je savais au fond de moi-même que je ne pourrais l'oublier.

Les oreilles d'Idolo frémirent sous mes caresses.

Je n'avais jamais eu d'animal familier. Mais ce jour-là, j'étais persuadé que je venais de me faire un nouvel ami.

Tía Roberta m'appela.

— Tu as reçu une lettre de ton père !

Je courus. Je lui arrachai presque la lettre des mains.

— Tu pourrais me dire merci ! bougonna-t-elle.

J'étais déjà ailleurs. Mes doigts tremblaient. J'attendais une bonne nouvelle. Je lus à haute voix :

« Julio César. Je viens de répondre à un courrier officiel du gouvernement. Un courrier signé du ministre en personne et de mon ami Luis Jorge Pedrera. La mine de Puerto del Caimán ouvrira de nouveau à la fin du mois de septembre, et on me propose le poste de directeur technique. Prépare donc mon retour, j'ai accepté… »

Je collai la lettre contre mon cœur.

Papa allait revenir définitivement. J'osais à peine y croire. Des larmes coulèrent de mes yeux.

TABLE DES MATIÈRES

Yves-Marie Clément

Il est né en 1959 à Fécamp. Depuis, il a beaucoup voyagé. Il a vécu en Guyane française et habite aujourd'hui en Ardèche avec sa femme, Nathalie, et leurs trois enfants, Samuel, Tom et Pablo.

Ses passions ? Les arts martiaux (il est ceinture noire de judo !), la lecture, la découverte de la forêt amazonienne.

Yves-Marie Clément est l'auteur de nombreux romans, nouvelles, contes pour la jeunesse et pour adultes. Il aime rencontrer ses lecteurs et participer avec eux à des ateliers d'écriture.

Du même auteur :

AUX ÉDITIONS NATHAN :
Seul dans la jungle
Prisonniers des sables
Sous le signe du dauphin

Jean-François Martin

Sous le signe du dauphin
YVES-MARIE CLÉMENT
Ill. de Simon Hureau
10-12 ans

José est en vacances chez sa cousine Maria-Prisca. Au programme : plage, spectacles, parcs de loisirs... la belle vie, même si Maria-Prisca est un peu trop sérieuse au goût de José. Lors d'un spectacle aquatique, les enfants font la connaissance de Teddy, un dauphin d'une exceptionnelle virtuosité. Maria-Prisca devient son amie, ce qui rend José un peu jaloux. Mais Teddy semble menacé et les deux enfants sont bien décider à s'unir pour l'aider.

Le loup à l'oreille cassée
ANDRÉ DELABBARE
Ill. de Vincent Boyer
10-12 ans

Loupataud, jeune loup maladroit, grandit au cœur de la Forêt Noire. Un jour, sa mère est tuée par un chasseur. Le louveteau s'enfuit et se retrouve isolé, loin de sa meute. Mais il fait une rencontre inattendue : Mirna, fillette repliée sur elle-même, qui vit seule avec sa mère, rejetée par les gens de son village. C'est le début d'une amitié singulière, dans un monde où pourtant, depuis la nuit des temps, loups et hommes s'opposent...

Les Mange-Forêts
KIM ALDANY
Ill. de Philippe Munch
Kerri & Mégane 10-12 ans

Kerri est convaincu que son père et sa mère ne sont pas morts, même si on lui dit le contraire ! Il embarque clandestinement avec son amie Mégane pour Amazonia, la planète où ses parents ont disparu. Là vivent d'étranges chenilles dévorant la forêt : les Mange-Forêts. Dans leur sillage, des petits humanoïdes poilus, les Maroufles…
Kerri sent bientôt le danger : le capitaine Evrett dit-il la vérité ?

N° éditeur : 10243935 – Dépôt légal : avril 2005
Achevé d'imprimer en mars 2018 par Nouvelle Imprimerie Laballery
(58500 Clamecy, France) (n° 802159)